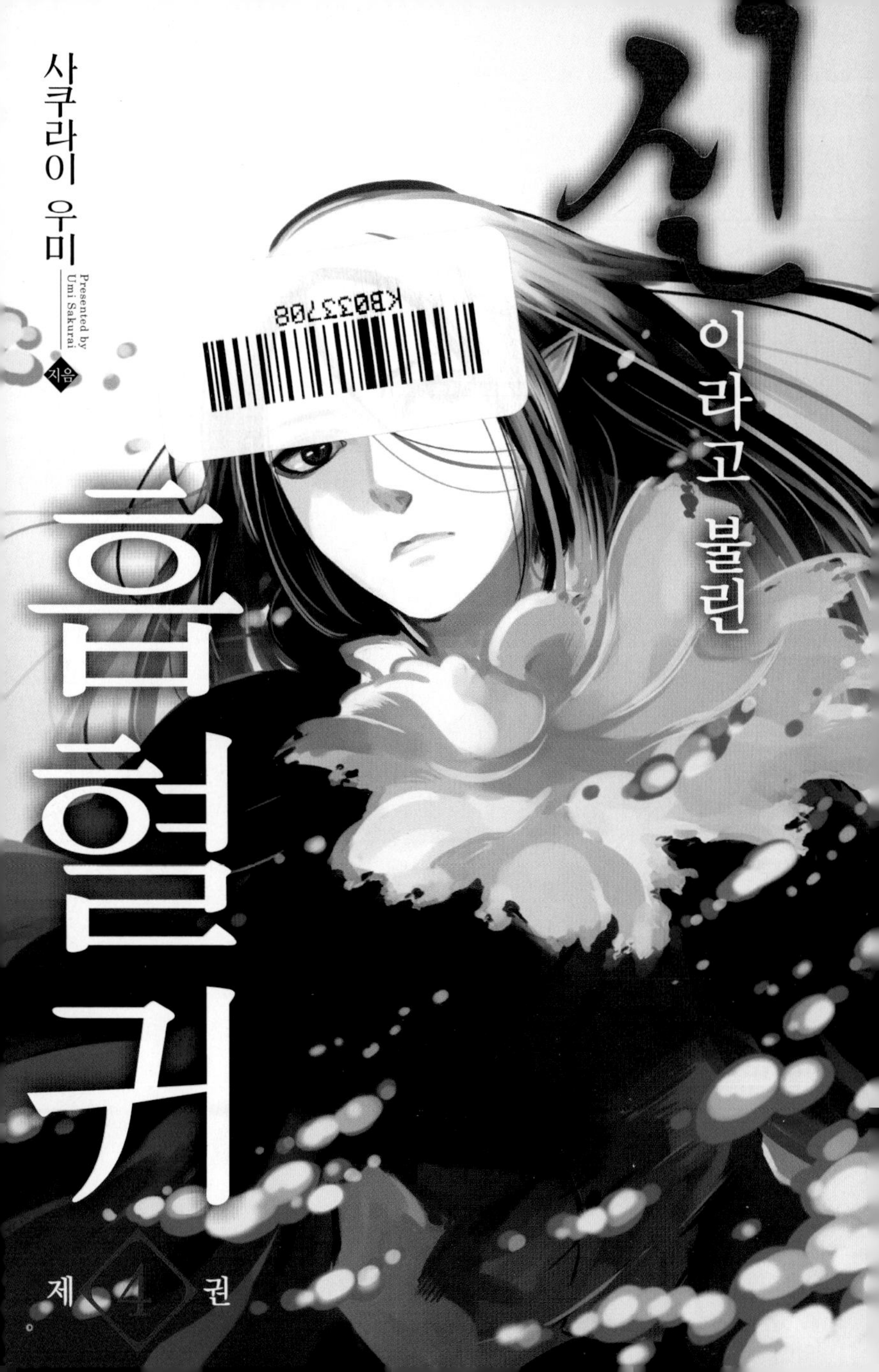
신
이라고 불린
흡혈귀
제 4 권
사쿠라이 우미
Presented by Umi Sakurai
지음

contents

신
이라고 불린

흡혈귀

제 4 권

목차

제16화 「지나가시오」

어제까지는
없었을 텐데.

뭐냐?
이 구멍은….

요도?

그쪽
들어라
볼라드

이건
요도다.

인간이 사는
이 이승과

그 태반은
저승에 사는 요괴가
이승에 오기 위해서
열지.

요괴가 사는
저승을
이어주는 길이다.

토지신인
와타츠 님이다.

삼신이라면
야히코나
하쿠렌 님
말이냐?

아니야
아니야.

밤축제나
신들의 집회에는
얼굴을
내밀지 않는
수수께끼투성이
신이지만

그 실력은
삼신이라 부르기
손색이
없다는 것 같다.

진귀한 신이다
진귀한 신!!

와타츠 님인가···.

만나 뵌 적은 없군.

정말로 어디에도 얼굴을 내밀지 않는구나.

실은 나도 그래.

존재하지 않는다는 말까지 들을 정도라고.

한 번 만나 뵙고 싶구나.

분명히 엄청나게 성격이 비뚤어진 신일 거야.

관둬, 관둬.

정말 그럴까···.

?!

전백

전백

전백

다음번에 아히코에게 물어볼까.

누군가 나온다!

설마
삼신인?!

와타츠
라고?

그러
하니라.

여긴
이승입니다.

저는
토지신인
볼라드
입니다.

저승의 요괴도
나를 아는 겐가?

우즈키
입니다.

......

50번째 도전에
나설까...

타
닥
타
닥

잠깐
기다려
주십시오!

나는
토지신 와타츠.

이 저승의
통령을
만나러 왔다.

드시지요.

음.
고맙네.

몇 번을 들어가도
저승에는
도달할 수 없던
것입니까?

그러하이.

요술이라도
걸려있는 것일지도
모르겠네요.

음.
나도
어렴풋이
그렇게
생각하고
있었다.

49번을 도전했으나
모두 이승으로
나왔느니라.

옹케
포기하지
않으셨군요...

어디에도…

변소는
없었다.

쌀 것 같아….

대충
그 근처의
덤불에서
싸도록 해!!

그것도
극도의 말이지.

혹시 와타츠 님은
방향치이십니까?

창피한 모습을
보였군.

들키지
않을 거라고
생각했던
건가요!!

어떻게
안 겐가.

목적지에
도착한 게다.

오히려
대단합니다.

안내인에게
향하고
있었더니….

처음에는
안내인을 부탁할
예정이었다만….

그런 방향감각으로
옹케 요도에
들어가려고 했군요.

아즈키!

게다가 저 사람들을 둘만 놔둘 수는 없으니까 말이지.

......

당연하지 않느냐. 우리 토지에도 굴이 생겼단 말이다.

우리도 같이 가는 거냐?!

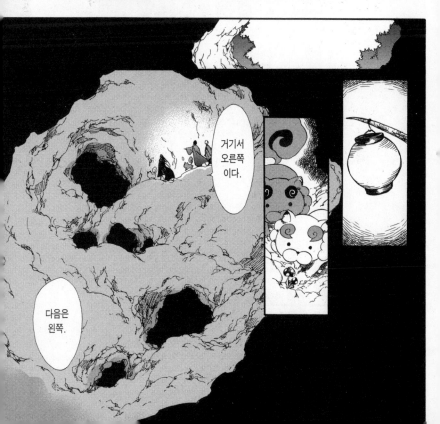

거기서 오른쪽 이다.

다음은 왼쪽.

지금은 길이 너무 많이 생겨서

판별하기가 힘들어졌지만 말이지.

요괴만이 알 수 있는 사기를 더듬고 있는 거다.

잘 아는군.

호오….

가장 가능성이 높은 것은

통령경쟁 이겠네요.

왜

요도가 빈번하게 발생하는 겁니까?

저승의 마을에서는 가장 강한 요괴가 통령이 됩니다.

통령의 힘이 약해지거나 통령이 없어지면

요괴들끼리 통령경쟁을 시작하지요.

만약 요괴가
요도를 통해
도망치고 있다면

그 기운을
알아차릴 수
있었을 겁니다….

이상
하군요….

뭐가
말입니까?

그
각축전에서
벗어나기
위해

이승으로
건너오는 요도가
늘어납니다.

……

그 굴은

그저 뚫려있을
뿐입니다.

신경 쓰지
마라.

뭐냐….
이 불길한
느낌은

데려가서는
안 되는 괴물을
뒤에
데리고 있는 것
같은….

아플 게다.

조금…

예?

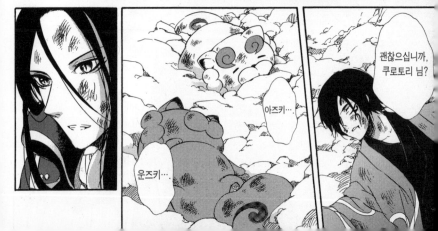

이 상황을
어떻게
벗어난다?

난처하군.

먹는다.

인간.

인간.

인간….

날 그런 가축과 똑같이 취급하지 마라.

그래.

인간 이라고?

이봐
요괴들.

방을 준비해서
이 녀석들의
상처를
치료해라.

식량이
죽어버리면

피를
빨 수 없게
돼 버리니까
말이지.

아아아
알겠습니다!

예?

이쪽입니다,
블라드 님.

도착
했습니다.

이곳이…

저승….

요괴가 사는
마을.

괜찮아….

내가 반드시
지켜줄게….

제17화「찾는 것 찾는 자」

바보구나.

그렇게 손쉽게 힘을 얻으려고 하니까.

언제까지나 3류 이하의 찌질이 요괴인 거야.

대요괴라고 불리는 분들은 스스로의 힘을 갈고닦아서 대요괴가 된 거야.

그래⋯. 통령님처럼.

아— 네네.

너 그 얘기는 입에 담아서는 안 된다고 모두가 결정했잖아!

겐키치.

하지만 그 통령님 탓에.

저런 괴물 같은 신이 우리 마을에 와 버렸지만 말이지.

?!

호오….

너희 뭔가를
알고 있는 것
같구나.

후다닥

저희는
아무것도
몰라요.

그래서
모르는 건가
싶었는데
숨기고 있던
거였군.

아무도
통령에 대해
이야기를 하지
않는다.

아,
아닙니다.

그럼
어쩔 수 없지.

이야기하고
싶어지게끔
만들어 주마.

뭐….

이 정도면 되겠지.

샥

샥

샥

샥

샥

옛날에는 다른 이름이 있었다.

부들 부들

지금은 흡혈귀 블라드라고 불리고 있지만

왜 그렇게 불리게 됐는지는

너희의 몸으로 가르쳐 주마.

가시공 블라드.

요도를
열고 있는 건
통령님입니다….

야아

겐키치!!!

너 그러고도
저승의 요괴니?!

통령님을
팔 생각이야?!

나
무서워….

요괴의
오기를
보여 줘.

무수한
시체를
쌓아올린
괴물의
눈이라고.

와들 와들

저…
저 녀석의
눈을 봐.

그건
협박이
아니었어.

왜
그렇게까지
해서
그 여자아이를
찾는 것일까?

나도 모르게
이유를
생각하게 된다…

저승으로
돌아오지도
않고.

그런가…

와타츠 님이
말한 대로다.

요괴의
사정 따위

아무래도
좋지 않은가.

이유가
뭐든

통령을
쓰러뜨리겠어.

산사태나
행방불명을
일으키는 요도를
계속 만들게
놔둘 수는 없어.

쿠로토리
님이라면

하지만,
어떻게
안에 들어가면
될까.

우리가 나온
요도는 이미
닫혀 버렸다.

열 수
있을까….

까—
귀여워!

으걱—!

노,
놓으세요!

이 목소리는
설마….

다들
깨어난 거냐!

하지만 아직도
의식을
못 찾고 있으니
말이지….

빨리
깨어나 주면
좋으련만….

거기서
나가!!

까—

응?

절세의
미장부!!

벌
떡

저 사람
누구야?

있지
야옹아.
저 사람
누구야?

그리고
고양이가
아니야….

괴…
괴로워….

날 똑바로
처다봤어.

까

쿠로토리 님이
의식을 잃었을 때
몸속으로 들어간 것
같습니다.

어떻게
된 겁니까?
쿠로토리 님.

그럴
수가….

원… 원령이
씌어버렸다….

넌
누구냐?

그 뒤로
몇 년이
지났을까요?

출구를
찾을 수 없어서
줄곧 동굴 안을
헤매고
있었답니다.

원령이
되어버렸습니다.

하지만 요전날,
이 분이 갑자기
날아와서 말이죠.

그랬더니
스르륵 몸 안으로
들어가 버려서…

같이 데려가려고
달라 붙었지요.

되지
않았어!
돌려줘!!

제 몸이
되었답니다.

하지만, 어떻게 하는 거냐?

예에?!

어… 그래.

브… 블라드 님.

빨리 원령을 쫓아내 주십시오.

신령의 자리를 물려받은 것도 갑작스러웠고

당연하잖아. 이 녀석은 최근까지 다른 신들과 교류도 하지 않았어.

네….

제령이라든가 하실 수 없는 건가요?

블라드 님은 신령님 이시잖아요!

너도 한 마디 해 블라드!

시꺼! 그래도 백 년 동안 신령의 책무를 잘 해 왔다고!

그렇다는 건 그저 머릿속까지 근육으로 된 멍청한 신이지 않습니까!!

뭐라 대꾸할 말이 없다….

거기에 물리적인 힘만큼은 쓸데없이 강해서 말이지. 거기에만 매달려서 다른 건 익히려고도 하지 않았지.

우리 블라드는 들러붙은 쉴녀를 기합으로 쩌지쩼다고!!

애초에 너네 신이 몸을 단련하지 않으니까 그딴 송사리 원령에게 쓰이는 거다!

운즈키!
너야말로
블라드를 바보취급
하지 마라!!

바보취급
해도
좋은 건
나쁜이다!!

아즈키!
쿠로토리 님을
우롱하는 건
용서 못한다!!

귀여워라─
싸우고 있어.

뭔가
다른 방법을
찾아보자.

진정하도록 해.
둘 다.

요괴에게서
캐물어 알아냈다만
요도는 통령이
열고 있었어.

게다가

이 아이를
만날 수
있던 것은
행운이었는지도
모른다.

귀여워

그건
왜?

볼 잡았다

그 안에 파묻힌
여자아이의 시체를
발견하기 위해서
말이지.

그것이
오우미 스즈.

이 아이를
말하는 거다.

이 아이라면
통령을 말릴 수
있을지도 몰라.

그래서?

어떻게 요도를 여실 거죠?

그렇군….

굴을 파면 통할지도 모르지.

그런다고 통할 리 없잖습니까!

나도 돕겠다!

영차

그… 그렇겠지.

굴 같은 걸 파 봤자, 흙밖에 안 나온다고요.

요도는 이승과 저승의 시공을 이어주는 굴입니다.

신들의 나라

이승

요도

저승

응?

그럼 어딘가 요도가 열려있지 않은가 찾아볼까.

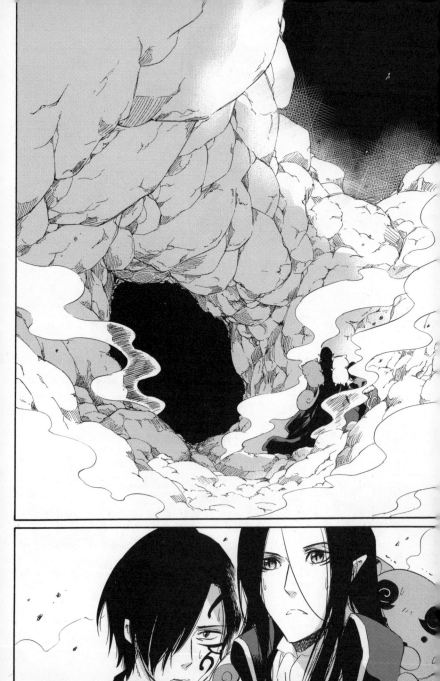

통령님!!

통령님!!

우으...

통령님!!

저것이
통령...

통령님!!

통령님!!

제18화「근심하는 나비」

신경
쓰이시나요?

넌 통령과
어떤 관계냐?

그래.

통령님은…

요괴에게
깊이 관계하면
안 된다는 것은
알지만….

제 생명의
은인이십니다.

그래도
괜찮습니다.

아즈키…

뭐어~~?
은인~~?

너 분명
속고 있는
거라고.

적어도
통령님을
만나기 전까지
저는…

언제 죽어도
좋다고
생각하고
있었으니까요.

저는
어머니의
단말마와 함께
태어났습니다.

꺄아아
아아!

저 말이죠….

처음에는 말이 잘 나오지 않아서 엉망진창이었답니다.

이야기하고 싶은 일은 정말 많았는데

통령님은 그런 제 이야기를 상냥하게 맞장구를 쳐가며 들어주셨어요.

정말 기뻤어요….

처음으로….

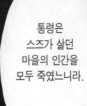

통령은
스즈가 살던
마을의 인간을
모두 죽였느니라.

어….

통령님….

죽어
마땅하다!!

스즈를
죽이려고 했기
때문이다….

그 마을의
인간들은
모두
추악했다….

모두 그대에게
이 요괴의 피가
섞여 있었기
때문이다.

이 자가
그대의
아버지이니라.

알고
있었습니다.

그날 밤.
저기 계신 신령님과
통령님이
싸우는 모습을
봤습니다.

저를
딸이라고
말씀하셨지요.

제가 가장
존경하는 신은

그것을
훌륭하다고
말해주셨
습니다.

그것으로
충분하다고….

블라드
공.

왜 그러지?

또 결단을
내리지 못하고
망설이고
있는 거냐.

와타츠.

나는 또
망설이고
말았다.

망설인 탓에
요도로 들어가는
그 아이를
말리지 못했다.

츠키가타
공.

들어가면
그 아이는 반드시
목숨을 잃게 될
터인데도….

그 아이를
외면한 게다!

나는 망설이고
망설인 끝에

가 달라고.

그건
망설인 게
아니야.

그 앞으로
가 달라고
너는 바랐던
것이겠지.

그건
네가 선택한
길이다.

그걸로
충분해.

츠키가타
공?

스즈….

앞으로는

늘 같이
있어주마.

아버님!

와타츠 님….

와타츠 님….

다만 지금은 부녀가 가족끼리의 시간을 보내주기를 바라고 있느니라.

언젠가는 말이지….

통령님—!!

통령님의 죄는…

속죄하게 할 것이다.

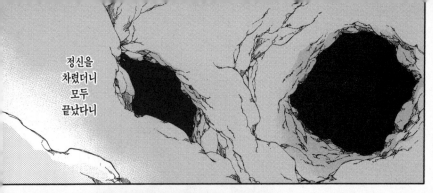

정신을
차렸더니
모두
끝났다니

왠지
납득이 되질
않아.

뭔데
노망난
할아범.

쿠로토리 공
쿠로토리 공.

안내인
이라는
의미에서
말이지.

정말로
깨어나 줘서
다행이야….

쿠로토리 공.
이쪽이
지름길인 것 같은
느낌이 든다.

그쪽은
돌아가는
길이다
멍청아!

뭔가
여러모로
납득이 되질
않아.

그대가
블라드 공을
좋아하는 이유를
알았느니라.

어딘지 모르게
츠키가타 공을
닮았으이….

그러셔.

안 닮았어.

겉모습은
말이지.

훗훗,
그건 그러하지.

하얀
목련.

붉은
작약꽃.

창포의
잎으로
장식을
한다···

산뜻한
매화.

싹
둑

이것으로

완성입니다.

오오…

이 정도 솜씨라면
코하루 님도
틀림없이
기뻐하시겠지요.

역시
야히코 님.

올봄의 꽃꽂이도
참으로
훌륭하군요.

근사합니다.

내 평생소원이다 아아아!!

제발 부탁한다!

블라드!

그렇게 많이는 안 썼어! 아직 여덟 번이다!

10번 죽은 뒤에 다시 와라.

게다가 평생소원은 벌써 10번이나 썼잖아.

이별통보를 받고 차인 남자처럼 굴지 마라.

이번엔 진짜로 위험하다고!

창피하다

짜증나네. 거절해라, 블라드.

그렇지? 그렇지? 응―?

응? 블라드? 괜찮잖아? 블라드?

후….

좋다.

어차피 나는 끝까지 거절하지 못할 테니까 말이지.

얼른 용건을 말해 다오.

끝내 자포자기 했다!!

매… 매번은 아니다.

그런 일을 부탁하셨던 겁니까.

뭐가 됐든 상관없다.

헌팅 이냐?

미팅?

25세 불편도가 있으면 여자친구들이 떠나갔다

이번에는 아니야!

그런 말을 하면서 매번 목적은 여성이었지.

게다가 이번에는 착실한 부탁이고 말이지….

아니 라고!

야히코 님!

그런 쓰레기를 보는 눈으로 보지 말아 줘!

코하루 님?

사계절에는 많은 신들이 얽혀 있습니다.

그래.

봄을 꾸미는 봄신님의 이름이다.

예를 들면 토지신의 정신 상태에 따라

그 토지의 정력이 변하잖아?

봄이 한층
화려해진다.

봄신의 기분이
좋으면

그것과
마찬가지로

꽃봉오리가
줄어들어.

꽃이 피는
숫자도
줄어버리지.

거꾸로
봄신의 기분이
나쁘면

그래서 내년에도
기분 좋게 와 달라고
하기 위해

수확을
기대할 수 없게
된다는 건가.

삼신인
나와 하쿠렌이
매년 봄.

옛날에는
굶어죽은
사람들이
늘어나기도
했지.

그래.

그 봄에 핀
꽃으로
꽃꽂이를 해
봄신님에게
보내는 것이지.

위험해! 이대로라면 그냥 가 버리실 거야.

올해는 몇 번을 만들어도 만족을 못하신다.

요 근래 백 년 정도는 쭉 잘 해 왔건만

올봄은 전해지지 않았던 거나.

그거야ー.

나한테도 양보할 수 없는 게 있다고!!

하쿠렌 님에게 부탁하면 되잖아.

역시나 블라드. 이해가 빠른걸.

바로 그거다!

즉 나도 코하루 님에게 보낼 꽃을 꽂아달라는 것이로군.

이것이야말로 마음에 그리던 선들의 관계…

그러냐….

아니….

웃….

이렇게 제대로 된 부탁을 받을 줄은 생각도 못해서 감동하는 중이다.

왜 그러냐 블라드? 싫은 거냐?

제가
부족하여

코하루 님.

돌아가시고자
하는 발걸음을
붙잡게 된 점,
면목이
없습니다.

부디
제 친구들의 꽃도
봐 주십시오.

이 꽃을
야히코 님에게
보냅니다.

내 얘기
들었어?

내가 아니라
코하루 님에게
보내는
거라고!!

인선실패
인가.

위험해!
한층 더 심기가
불편해지신 것
같은 느낌이…

싸――늘…

하지만
블라드라면….

우선은
이 코마이누
인형과

응?

저도
꽃꽂이에는
어둡습니다만

특기인
재봉을 살려
고안을
해 보았습니다.

코마이누
인형과

어?

코마이누
인형으로

에?

바보다.

야산에서 발견한 사랑스러운 너구리나

아름다운 두루미와 백조에게 말이지.

올봄의 꽃은 내게 맡기시게.

300년 걸렸다만

그 완성된 모습은 내가 봐도 고개가 끄덕여진다.

하지만 이걸로 조금은 와타츠를 만나기 쉽게 됐군.

미안하지만 쿠로토리. 좀 참아 줘.

잔인 하십니다!

훗훗.

가엾으신 쿠로토리 님….

훌륭한 꽃꽂이가
아니더냐?

그건
분재고.

끝내는
코하루 님이
정색을 하셨다.

히이익!

흠──…

이 꽃은
야히코가
꽂은 거냐?

어쩌지.

어쩌지.

아… 그래.

아름답다.

나로서는 도저히
흉내 낼 수
있을 것 같지 않아.

아니다.

오랜 시간
계속 해왔으니까
말이지.

뭐,

코하루 님에게
지도를
받으면서…

어?

뭘 하고
있는 겁니까,
야히코.

봄신님을
마중하지도
않고.

어?
무슨 말을
하는 거야.

그게
봄신님은
이미
여기에….

봄신님은
이쪽에
계십니다.

어?

어라?

꽃을 피울 수
없게 되었다.

작년 봄…

어떤 신이 내게
매화꽃을
피워달라고
부탁을 해 왔다.

그렇게
소중하게
돌봤는데

네 할아버지
참
안타깝구나.

결국
꽃도 피우지
못하고
말라죽다니….

며칠 뒤.
문득 그 매화가
신경이 쓰여
그 민가에
들러보았더니

가주의
장례식을
치르고
있었다.

저
매화나무.

그렇게
소중한 거야?

그래.

죽은 아들이
심어준
나무였단다.

마지막
가는 길
정도에는

보여주고
싶었는데
말이다….

부디

보는 이에
따라서는
무엇보다도
아름다운
꽃이 됩니다.

모두
동등하게
사랑해
주십시오.

올해도
훌륭했다.
야히코.

역시
내 수제자다.

지금은
어떤 꽃이라도
아름답게
보이는구나.

예전에는
꽃의 모양이나
품위만을
신경 썼다만

그리
놀라지
말거라,
야히코.

그리고
네가 데려온
자들의
꽃도 말이다.

예에?

꽃이
시들어간다….

겨우
한 번만
피는 꽃들도
있건만….

이 꽃도…

저 꽃도…

이 꽃도…

모두
시들어간다….

그대 덕분에
중요한 사실을
깨달을 수
있었다.

주제넘은 짓을
했습니다.

매화꽃의 개화를
부탁한 것은
여기 있는
블라드 공이다.

작년 봄
하쿠렌 님을
찾아뵈었을 때
만나 뵙게 됐지요.

에에?!

어?

어?

어?

괜찮다
괜찮아.

내 미숙함이
낳은 결과다.

그런데
이런 고귀한
분인 줄도
모르고….

쿠로토리 님. 아침 식사를 준비 했습니다.

그래. 지금 가마.

맛있느니라. 안 먹는 게냐?

눌러 붙었다.

아!!

또 네놈 이냐!

이름 와타츠
신장 170cm
좋아하는 것 아첨하지 않는 바른 마음
싫어하는 것 지도

第20화 「청천의 폭풍우」

자연이란
그런 거다.

야히코!!

하쿠렌….

나도
알아.

용신이
죽었습니다.

마지막으로
용신의 옆에
있던 자가
판명되었습니다.

블라드가
했을 리
없잖아!!

블라드는
이미
신을 한 번
죽였습니다.

하쿠렌!

너도 블라드가
범인이라고
생각하는 거냐!

뭐?

아히코.

신들의 나라에서
그를 의심하기에는
넘칠 만큼
충분한 근거일
겁니다.

오오!

엄청
미인이구만.

※남만인인가.

우리가
하는 말을
알겠어?

······

※남만인 : 에도시대에는 포르투갈·스페인 사람을 남만인이라고 불렀다

걱정하지
않아도 돼.

일단 마을로
데리고 갈까?

틀렸나.

전혀
안 통하는군.

신이라고 불린 흡혈귀 4 끝

그래도 여자애들이
와 주는 것만으로도
행복해—♡

이번에는 연재 전의 블라드의 채택되지 않은 의상을 소개 하겠습니다.

오오!

4권을 읽어주셔서 감사합니다!

여러분 안녕하세요.

?!

ㅋ억

너무 오래 전에 그린 그림이라 대미지를 입었습니다.

그딴 건 아무래도 좋아.

왜, 왜 그러는 거냐 해파리!

시작 하자마자 종료인 거냐, 해파리!

그림쟁이에게는 결코 내뱉어서는 안 되는 말.

ㅋ억

걱정하지 마. 지금이랑 크게 다르지 않으니까.

참내~~ 빨리 진행이나 해.

자 그럼. 몇 가지 소개 하겠습니다.

처음에는 ＊하오리만 일본풍 이었습니다.

결국에는 부츠 외에는 완전히 일본풍의 의상이 되었습니다.

그것이 점점 일본풍으로 변해갔지요.

오오!

＊하카마 도 좋은데

패 신령님 분위기가 나잖아.

일본풍 다 날아갔어!

등!!

그리고 지금의 디자인으로 결정 되었습니다.

＊하카마 : 일본전통의 주름 잡힌 하의.

＊하오리 : 일본전통의상 위에 걸치는 짧은 겉옷.

담당자 님 어시스턴트 이 책에 관여해줘주신 모든 분들에게 감사드립니다.

그럼 여러분 다음번에 또 만나 뵙지요.

무슨 일이 일어날지 모르기 때문에 인생은 즐거운 겁니다.

그러나.

신이라고 불린 흡혈귀 4

초판 1쇄 발행 2021년 1월 20일

만화_ Umi Sakurai
옮긴이_ 이진주

발행인_ 신현호
편집부장_ 윤영천
편집진행_ 김기준 · 김승신 · 원현선 · 권세라 · 유재슬
커버디자인_ 양우연
내지디자인_ CMY그래픽
관리 · 영업_ 김민원 · 조인희

펴낸곳_ (주)디앤씨미디어
등록_ 2002년 4월 25일 제20-260호
주소_ 서울시 구로구 디지털로 26길 111 JnK디지털타워 503호
전화_ 02-333-2513(대표)
팩시밀리_ 02-333-2514
이메일_ lnovelpiya@naver.com
L노벨 공식 카페_ http://cafe.naver.com/lnovel11

KAMI TO YOBARETA KYUKETSUKI vol.4
©2016 Umi Sakurai / SQUARE ENIX CO., LTD.
First published in Japan in 2016 by SQUARE ENIX CO., LTD.
Korean translation rights arranged with SQUARE ENIX CO., LTD. and D&C MEDIA Co., Ltd.
through Tuttle-Mori Agency, Inc.

ISBN 979-11-278-5819-3 07830
ISBN 979-11-278-5745-5 (세트)

값 5,500원